산영어

이 책은
한글을 영어로 바꾸는
이상한 영어책입니다.

한글을 영어로 변환시키는 '산영어법칙'

　한글과 영어의 어순이 다르다는 것은 삼척동자도 다 아는 사실입니다. 모두가 알다시피 한글은 ('주어'-'목적어'-'서술어')순으로 문장이 구성되지만 영어는 ('주어'-'서술어'-'목적어')순으로 문장이 구성되기 때문입니다.

　그런데 한글과 영어의 어순을 잘 살피면, '주어'의 순서는 변하지 않고 '목적어'와 '서술어'의 순서가 바뀌는 것을 확인할 수 있습니다. 바로 이 '목적어'와 '서술어'의 순서를 바꿀 수 있는 법칙을 개발하면 한글을 영어로 바로 변환시킬 수 있지 않을까 하는 것이 이 책의 아이디어입니다.

　그리고 여기 한글과 영어의 어순을 연결시키는 법칙을 만들었고 그것을 알려드리려고 합니다. 그것은 바로 "산영어법칙"입니다.

　"산영어법칙"은 두 개의 **구분선**과 두 개의 **등산코스**로 운용됩니다.

먼저 구분선에 대해 설명드리면...
첫 번째 구분선은 산(+산림지대)을 좌우로 나누어 왼쪽은 '주어부'로 떼어놓는 것입니다.
두 번째 구분선은 떼어진 오른쪽 부분을 위아래로 나누어 아래쪽은 '서술어부'로, 위쪽은 '목적어부'로 떼어놓는 것입니다.

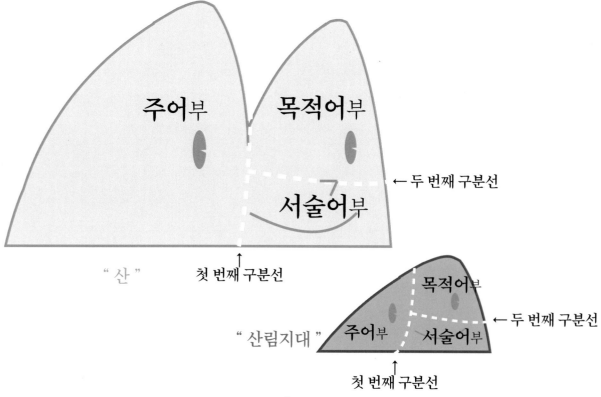

2

다음으로 **등산코스**에 대해 설명드리면, **첫 번째** 한글 등산코스는 산등성이를 타고 넘으며 한글을 '주어부' – '목적어부' – '서술어부'에 적절하게 배치하는 것입니다.

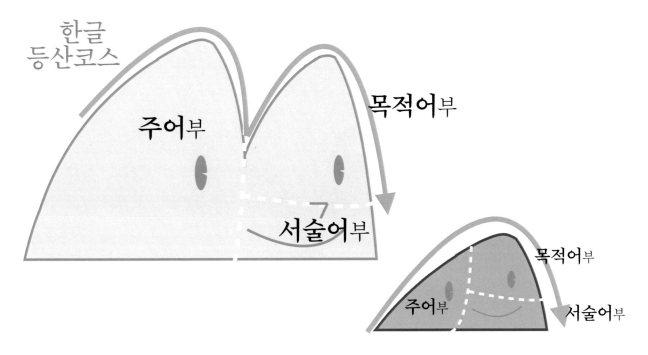

두 번째 영어 등산코스는 먼저 큰 산의 '주어부'를 지나고 다음으로 '서술어부'와 '목적어부'를 지나는 것입니다. 만약, 산봉우리에 **산림지대**가 있을 경우엔 **먼저 산림지대를 지난 후**에 큰 산의 '서술어부' – '목적어부'를 지나면 됩니다.

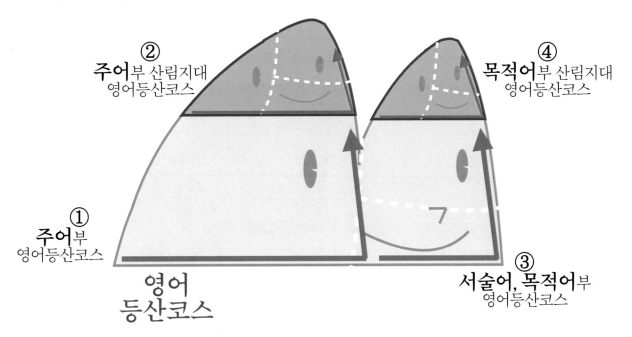

예시로 다음의 한글문장을 산영어법칙을 통해 영어문장으로 바꿔보겠습니다.

"하나님의 명령을 들은 아담은 하나님께서 말씀하신 열매를 먹었습니다."

1. 먼저 한글 등산코스를 따라 위 한글문장을 알맞게 배열합니다.

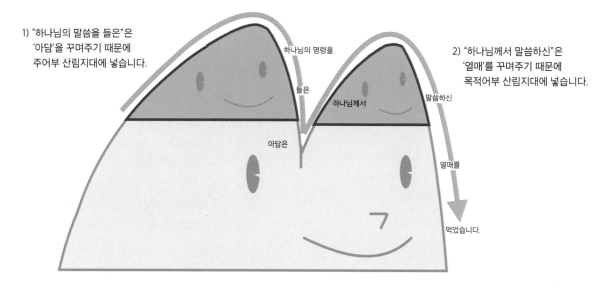

2. 배열된 한글문장을 영어 등산코스대로 읽습니다.

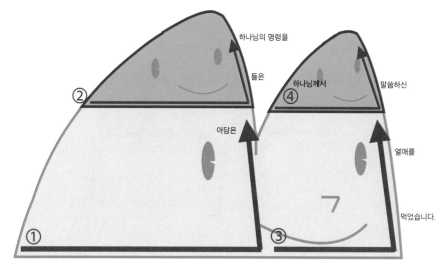

① (아담은) ② (들은 - 하나님의 명령을) ③ (먹었습니다 - 열매를) ④ (하나님께서 - 말씀하신)

3. 영어 등산코스로 읽은 한글을 영어단어로 알맞게 바꿉니다.

˝ Adam, heard God´s command, ate the fruit, God said. ˝

* 추가 설명.

1. 산 서술어의 한글-영어 변환표는 다음과 같습니다.

한글 서술어	영어 서술어	한글 서술어	영어 서술어
~하지 않아.	don´t V	~하는 것이다.	be to V
~할 수 없어.	can´t V	~해야 한(된)다.	have to V should V
~하고 있어.	be Ving	~하고 싶다. ~하길 원해.	want to V would like to V
~하는 걸 좋아해	like Ving	~했을거야.	would be would have P.P
		~하게 되었다	come to V

2. **투부정사 아이콘**: 미래에 무엇인가를 할 의도가 담긴 행위를 나타냄.
   모양: 산림지대(목적어) 아래에 로켓불꽃
   의미: 미래에 무엇인가를 할 의도를 포함

   목적어

   투부정사

   한글 표현 중에 '하길', '하려고', '해서', '할', '하기로', '하기 위해'는
   영어에서 **투부정사(toV)**로 표현됩니다. *투부정사 뒤에는 거의 목적어가 온다.

3. **'장소'**와 **'시간'**을 나타내는 아이콘.
   모양: 구름 모양

   장소, 시간

   위치: 하늘 위에 둥실둥실 떠있다.

   (영어에서 '**장소**'와 '**시간**'은 거의 문장 맨 마지막에 나온다.)

4. **'누구에게'** (간접목적어)를 나타내는 아이콘
   모양: 사람 모양
   위치: 산 콧잔등 위에 서있다.
   영어 등산코스에서는 서술어 바로 다음에 읽혀진다.

5. 남이 무엇을 하도록 시키는 **"사역동사"**(make, have, help, let)
   와 관련한 내용은 44페이지를 확인하시기 바랍니다.

6. 남이 무언가를 하는 것을 인지하는 **"지각동사"**
   (see, watch, look at, hear, listen to, feel, notice, observe)와
   관련한 내용은 46페이지를 확인하시기
   바랍니다.

   * 사역동사와 지각동사와 관련한 특별 산영어법칙

5

*추가설명을 모두 포함한 예시글.

1. "그녀는 매일 살을 빼기 위해 달리고 있어."

위 한글문장을 한글 등산코스로 나타내면
오른쪽 그림과 같이 나타난다.

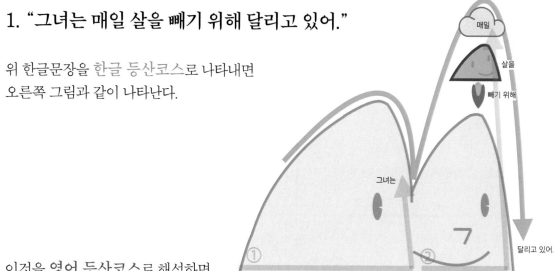

이것을 영어 등산코스로 해석하면,
①(그녀는) ②(달리고 있어 – 빼기 위해 – 살을 – 매일)
" She is running to lose weight every day. "가 된다.

2. "그녀는 그녀가 읽은 책을 그에게 주었어요."

위 한글문장을 한글 등산코스로 나타내면
오른쪽 그림과 같이 나타난다.

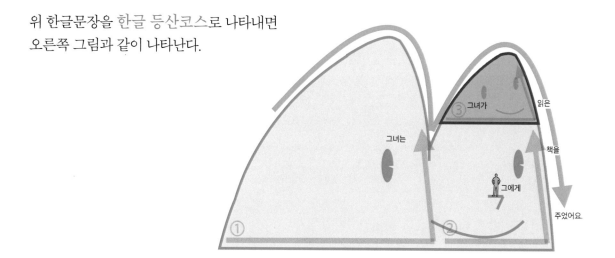

이것을 영어 등산코스로 해석하면,
①(그녀는) ②(주었어요 – 그에게 – 책을) ③(그녀가 – 읽은)
" She gave him the book, she read. "가 된다.

이제부터 산영어법칙을 이용하여 한글을 영어로 변환시켜 보겠습니다.
그전에 먼저 여러분께서 아래의 한글을 여러분이 알고 있는 영어 지식으로 영작해 보세요.

1. 아담과 하와는 하나님께서 만드신 동산에서 살았어요.

2. 하나님께서 만드신 에덴동산에는 꽃들이 가득했어요.

3. 뱀의 말을 들은 아담과 하와는 하나님께서 말씀하신 열매를 먹었어요.

4. 하나님의 벌을 받은 아담과 하와는 힘든 삶을 살았어요.

5. 하나님은 노아에게 큰 배를 만들라고 말씀하셨어요.

6. 사람들은 큰 배를 만드는 노아를 비웃었어요.

7. 하나님께서 말씀하신 큰 비가 내렸어요.

8. 배에 탄 노아와 그의 가족은 살았어요.

9. 배에서 나온 노아는 하나님께서 만드신 무지개를 보았어요.

10. 하나님을 사랑하는 다니엘은 매일 기도했어요.

11. 왕이 사람들에게 기도하지 마라고 명령했어요.

12. 왕의 명령을 어긴 다니엘은 사자들이 있는 굴에 던져졌어요.

13. 하나님은 하나님을 사랑하는 다니엘을 살리셨어요.

14. 예수님은 우리를 구원하시기 위해 세상에 오셨어요.

15. 예수님은 호숫가에서 그물을 씻는 형제를 만났어요.

16. 그물을 던진 베드로는 많은 물고기를 잡았어요.

17. 예수님의 기적을 경험한 안드레와 베드로는 예수님의 첫 제자가 되었어요.

18. 백 마리 양을 키우는 양치기가 한 마리를 잃어버렸어요.

19. 양치기는 잃어버린 양을 찾으러 밖으로 나갔어요.

20. 잃어버린 양을 찾은 양치기는 큰 잔치를 열었어요.

21. 길을 가던 한 사람이 강도들을 만났어요.

22. 강도들을 만난 그 사람은 큰 상처를 입었어요.

23. 어떤 사마리아 사람이 다친 사람을 도와주었어요.

24. 다친 사람을 도와준 사람이 그의 이웃입니다.

25. 많은 사람이 예수님의 말씀을 들으려고 모였어요.

26. 예수님께서 여리고에서 앞을 보지 못하는 사람을 만났어요.

27. 저는 앞을 보기를 원합니다.

28. 예수님의 기적을 본 사람들은 하나님께 감사했어요.

29. 예수님은 우리를 구원하시기 위해 십자가에서 죽으셨어요.

30. 제자들은 십자가에서 죽으신 예수님을 바라보았어요.

31. 무덤에 묻히신 예수님은 다시 살아나셨어요.

32. 살아나신 예수님은 숨어있던 제자들을 찾았어요.

33. 예수님을 만진 도마는 부활을 믿게 되었어요.

34. 하늘에 올라가신 예수님은 다시 오실 거에요.

35. 예수님을 믿는 사람은 구원을 받아요.

36. 성령이 너희를 증인이 되게 만들 것이다.

37. 예수의 이름이 너를 걷게 하실 것이다.

38. 사람들은 그가 걷는 걸 보았다.

39. 제자들은 사람들이 예수님을 믿게 만들었다.

40. 사람들은 제자들이 복음을 전하는 걸 들었어요.

41. 하나님은 우리가 서로를 사랑하게 하셨어요.

영어 문장을 잘 만드셨나요? 이제 입영어 방식으로 한글을 영어로 바꾸어 보도록 하겠습니다.

1. 아담과 하와는 하나님께서 만드신 동산에서 살았어요.

1) 먼저 한글 등산코스를 따라 위 한글문장을 알맞게 배열합니다.

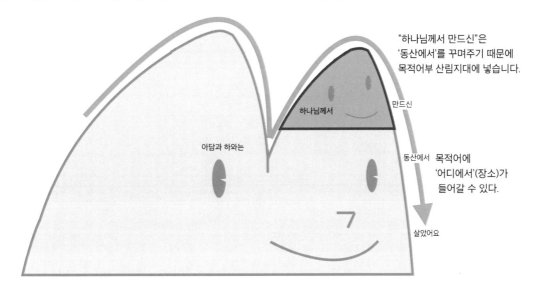

2) 배열된 한글문장을 영어 등산코스대로 읽습니다.

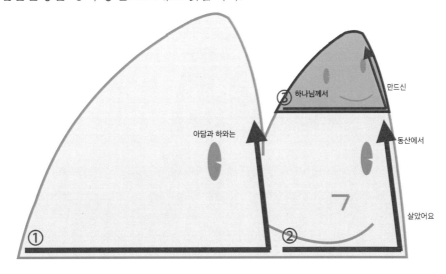

①(아담과 하와는) ②(살았어요 – 동산에서) ③(하나님께서 – 만드신)

3) 영어 등산코스로 읽은 한글을 영어단어로 알맞게 바꿉니다.

" Adam and Eve lived in the garden, God made. "

2. 하나님께서 만드신 에덴동산에는 꽃들이 가득했어요.
(하나님께서 만드신 에덴동산은 많은 꽃들을 가졌어요.)

1) 먼저 한글 등산코스를 따라 위 한글문장을 알맞게 배열합니다.

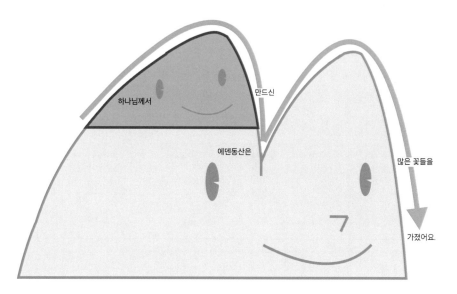

2) 배열된 한글문장을 영어 등산코스대로 읽습니다.

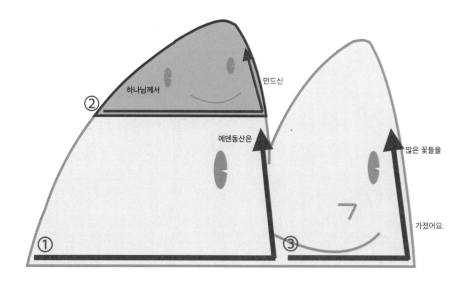

①(에덴동산은) ②(하나님께서 - 만드신) ③(가졌어요 - 많은 꽃들을)

3) 영어 등산코스로 읽은 한글을 영어단어로 알맞게 바꿉니다.

" The garden of Eden, God made, had many flowers. "

3. 뱀의 말을 들은 아담과 하와는 하나님께서 말씀하신 열매를 먹었어요.

1) 먼저 한글 등산코스를 따라 위 한글문장을 알맞게 배열합니다.

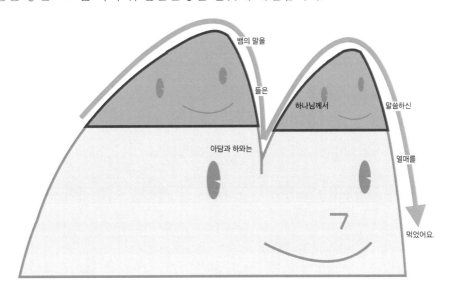

2) 배열된 한글문장을 영어 등산코스대로 읽습니다.

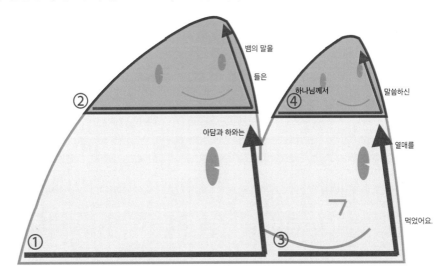

①(아담과 하와는) ②(들은 - 뱀의 말을) ③(먹었어요 - 열매를) ④(하나님께서 - 말씀하신)

3) 영어 등산코스로 읽은 한글을 영어단어로 알맞게 바꿉니다.

" Adam and Eve, listened to the word of snake,
ate the fruit, God said. "

4. 하나님의 벌을 받은 아담과 하와는 힘든 삶을 살았어요.

1) 먼저 한글 등산코스를 따라 위 한글문장을 알맞게 배열합니다.

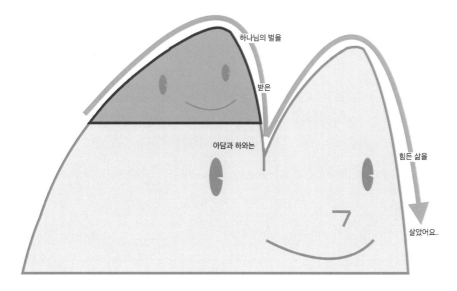

2) 배열된 한글문장을 영어 등산코스대로 읽습니다.

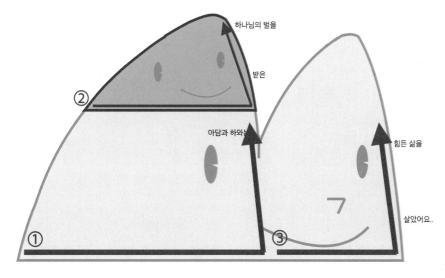

①(아담과 하와는) ②(받은 – 하나님의 벌을) ③(살았어요 – 힘든 삶을)

3) 영어 등산코스로 읽은 한글을 영어단어로 알맞게 바꿉니다.

" Adam and Eve, received God's punishment,
lived   a hard life. "

5. 하나님은 노아에게 큰 배를 만들라고 말씀하셨어요.

1) 먼저 한글 등산코스를 따라 위 한글문장을 알맞게 배열합니다.

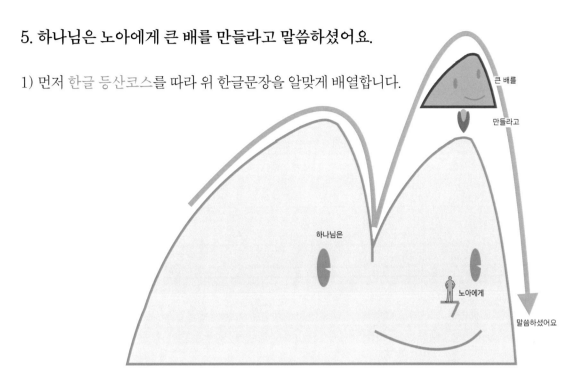

2) 배열된 한글문장을 영어 등산코스대로 읽습니다.

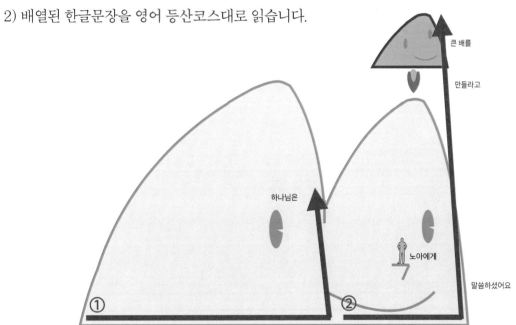

①(하나님은) ②(말씀하셨어요 - 노아에게 - 만들라고 - 큰 배를)

3) 영어 등산코스로 읽은 한글을 영어단어로 알맞게 바꿉니다.

" God told Noah to build a great ark. "

6. 사람들은 큰 배를 만드는 노아를 비웃었어요.

1) 먼저 한글 등산코스를 따라 위 한글문장을 알맞게 배열합니다.

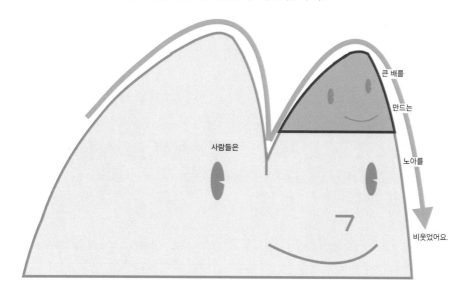

2) 배열된 한글문장을 영어 등산코스대로 읽습니다.

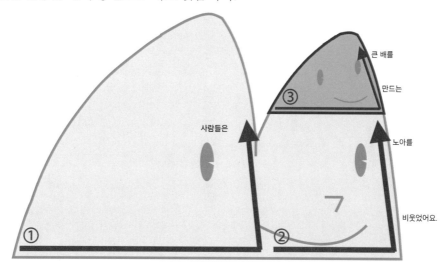

①(사람들은) ②(비웃었어요 – 노아를) ③(만드는 – 큰 배를)

3) 영어 등산코스로 읽은 한글을 영어단어로 알맞게 바꿉니다.

" People mocked Noah, made a great ark. "

7. 하나님께서 말씀하신 큰 비가 내렸어요.

1) 먼저 한글 등산코스를 따라 위 한글문장을 알맞게 배열합니다.

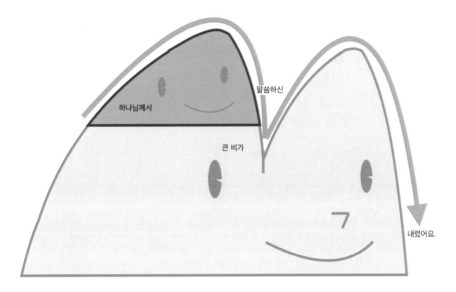

2) 배열된 한글문장을 영어 등산코스대로 읽습니다.

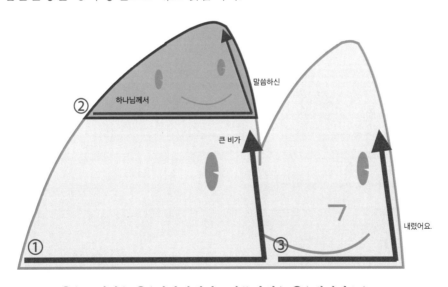

①(큰 비가) ②(하나님께서 - 말씀하신) ③(내렸어요)

3) 영어 등산코스로 읽은 한글을 영어단어로 알맞게 바꿉니다.

" A heavy rain, God said, fell. "

8. 배에 탄 노아와 그의 가족은 살았어요.

1) 먼저 한글 등산코스를 따라 위 한글문장을 알맞게 배열합니다.

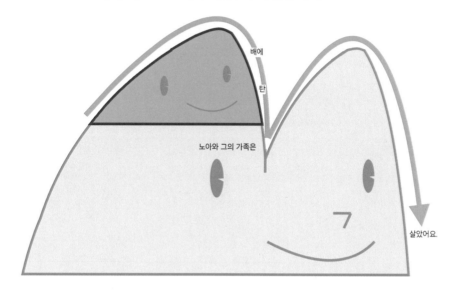

2) 배열된 한글문장을 영어 등산코스대로 읽습니다.

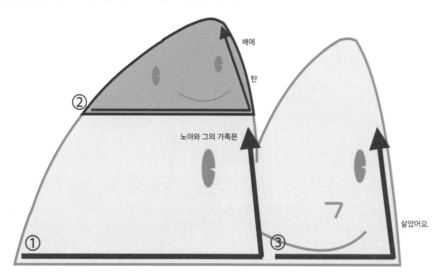

①(노아와 그의 가족은) ②(탄 - 배에) ③(살았어요)

3) 영어 등산코스로 읽은 한글을 영어단어로 알맞게 바꿉니다.

" Noah and his family, boarded the ark, survived. "

9. 배에서 나온 노아는 하나님께서 만드신 무지개를 보았어요.

1) 먼저 한글 등산코스를 따라 위 한글문장을 알맞게 배열합니다.

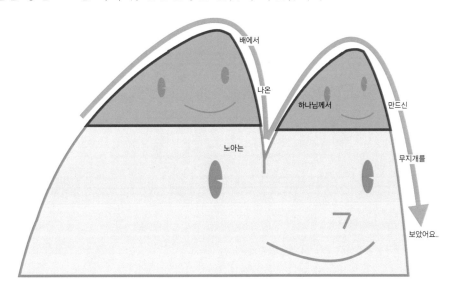

2) 배열된 한글문장을 영어 등산코스대로 읽습니다.

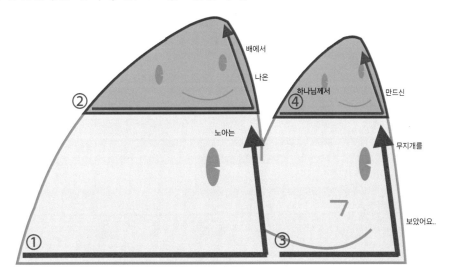

①(노아는) ②(나온 – 배에서) ③(보았어요 – 무지개를) ④(하나님께서 – 만드신)

3) 영어 등산코스로 읽은 한글을 영어단어로 알맞게 바꿉니다.

" Noah, came out of the ark, saw the rainbow, God made. "

10. 하나님을 사랑하는 다니엘은 매일 기도했어요.

1) 먼저 한글 등산코스를 따라 위 한글문장을 알맞게 배열합니다.

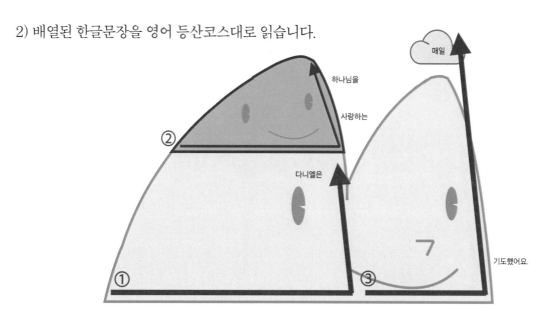

2) 배열된 한글문장을 영어 등산코스대로 읽습니다.

①(다니엘은) ②(사랑하는 - 하나님을) ③(기도했어요 - 매일)

3) 영어 등산코스로 읽은 한글을 영어단어로 알맞게 바꿉니다.

" Daniel, loved God, prayed every day. "

11. 왕이 사람들에게 기도하지 말라고 명령했어요.

1) 먼저 한글 등산코스를 따라 위 한글문장을 알맞게 배열합니다.

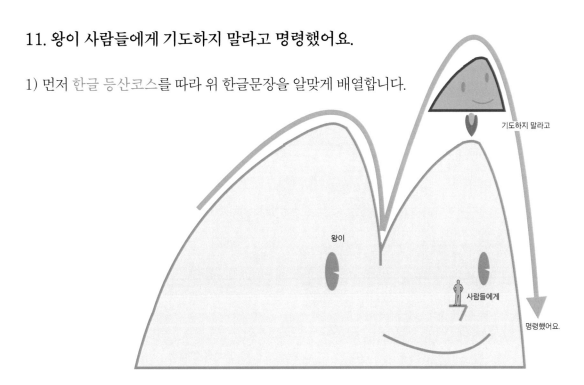

2) 배열된 한글문장을 영어 등산코스대로 읽습니다.

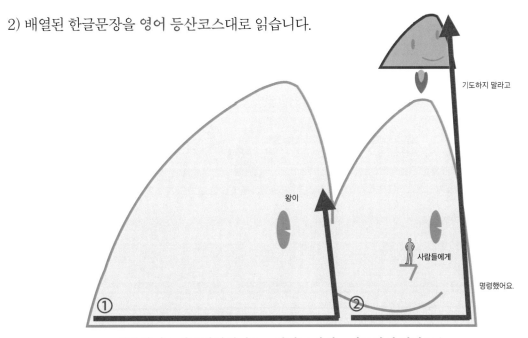

①(왕이) ②(명령했어요 – 사람들에게 – 기도하지 말라고)

3) 영어 등산코스로 읽은 한글을 영어단어로 알맞게 바꿉니다.

" The king   commanded   people   not to pray. "

12. 왕의 명령을 어긴 다니엘은 사자들이 있는 굴에 던져졌어요.

1) 먼저 한글 등산코스를 따라 위 한글문장을 알맞게 배열합니다.

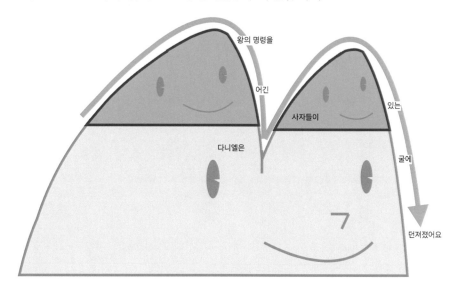

2) 배열된 한글문장을 영어 등산코스대로 읽습니다.

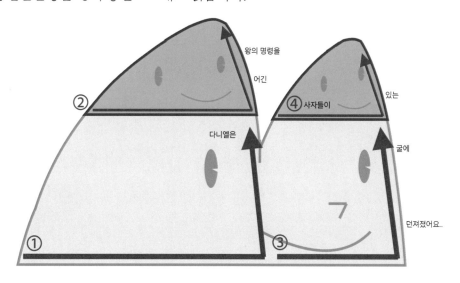

①(다니엘은) ②(어긴 – 왕의 명령을) ③(던져졌어요 – 굴에) ④(사자들이 – 있는)

3) 영어 등산코스로 읽은 한글을 영어단어로 알맞게 바꿉니다.

"Daniel, disobeyed the king's command,
was thrown into the cave, lions were."

13. 하나님은 하나님을 사랑하는 다니엘을 살리셨어요.

1) 먼저 한글 등산코스를 따라 위 한글문장을 알맞게 배열합니다.

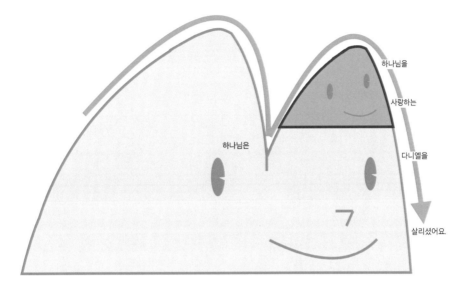

2) 배열된 한글문장을 영어 등산코스대로 읽습니다.

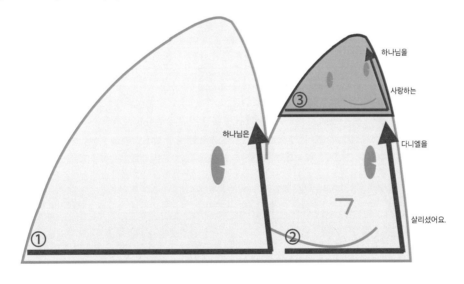

①(하나님은) ②(살리셨어요 - 다니엘을) ③(사랑하는 - 하나님을)

3) 영어 등산코스로 읽은 한글을 영어단어로 알맞게 바꿉니다.

" God   saved   Daniel,   loved   God. "

14. 예수님은 우리를 구원하시기 위해 세상에 오셨어요.

1) 먼저 한글 등산코스를 따라 위 한글문장을 알맞게 배열합니다.

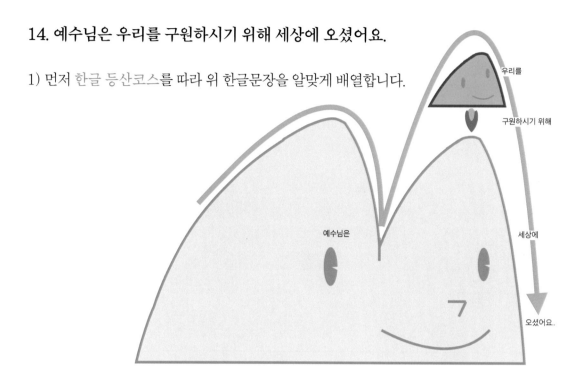

2) 배열된 한글문장을 영어 등산코스대로 읽습니다.

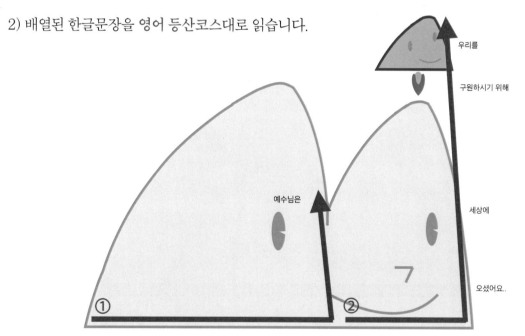

①(예수님은) ②(오셨어요 – 세상에 – 구원하시기 위해 – 우리를)

3) 영어 등산코스로 읽은 한글을 영어단어로 알맞게 바꿉니다.

" Jesus   came to   the world   to save   us. "

15. 예수님은 호숫가에서 그물을 씻는 형제를 만났어요.

1) 먼저 한글 등산코스를 따라 한글문장을 알맞게 배열합니다.

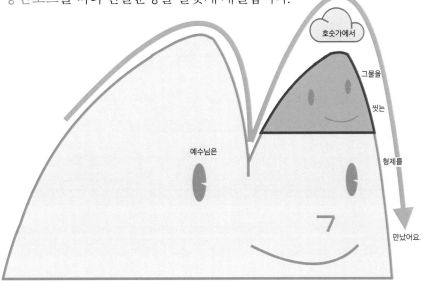

2) 배열된 한글문장을 영어 등산코스대로 읽습니다.

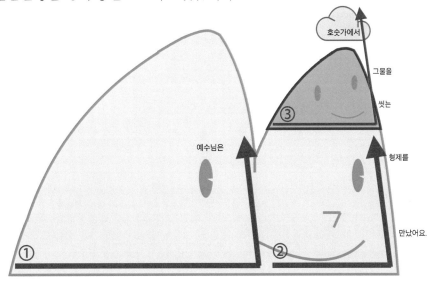

①(예수님은) ②(만났어요 - 형제를) ③(씻는 - 그물을 - 호숫가에서)

3) 영어 등산코스로 읽은 한글을 영어단어로 알맞게 바꿉니다.

" Jesus   met   a brother,   washed   a net   by the lake. "

16. 그물을 던진 베드로는 많은 물고기를 잡았어요.

1) 먼저 한글 등산코스를 따라 위 한글문장을 알맞게 배열합니다.

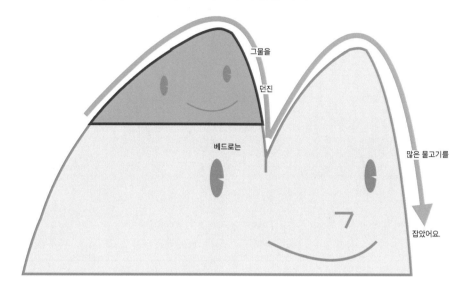

2) 배열된 한글문장을 영어 등산코스대로 읽습니다.

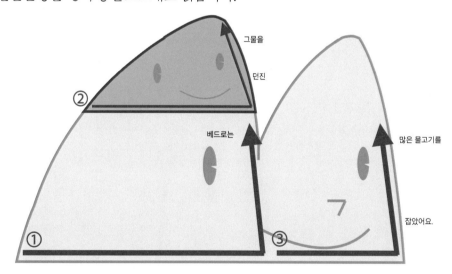

①(베드로는) ②(던진 – 그물을) ③(잡았어요 – 많은 물고기를)

3) 영어 등산코스로 읽은 한글을 영어단어로 알맞게 바꿉니다.

" Peter, threw the net, caught a lot of fish. "

17. 예수님의 기적을 경험한 안드레와 베드로는 예수님의 첫 제자가 되었어요.

1) 먼저 한글 등산코스를 따라 위 한글문장을 알맞게 배열합니다.

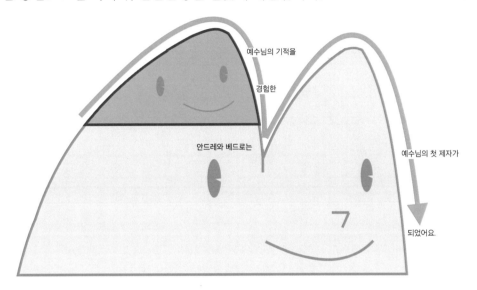

2) 배열된 한글문장을 영어 등산코스대로 읽습니다.

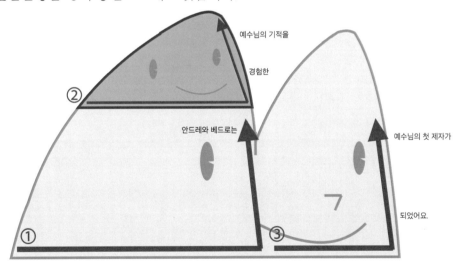

①(안드레와 베드로는) ②(경험한 – 예수님의 기적을) ③(되었어요 – 예수님의 첫 제자가)

3) 영어 등산코스로 읽은 한글을 영어단어로 알맞게 바꿉니다.

" Andre and Peter, experienced the miracle of Jesus, became Jesus' first disciples. "

18. 백 마리 양을 키우는 양치기가 한 마리를 잃어버렸어요.

1) 먼저 한글 등산코스를 따라 위 한글문장을 알맞게 배열합니다.

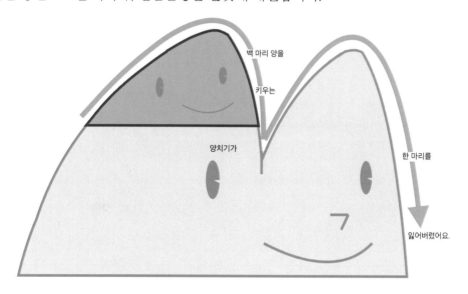

2) 배열된 한글문장을 영어 등산코스대로 읽습니다.

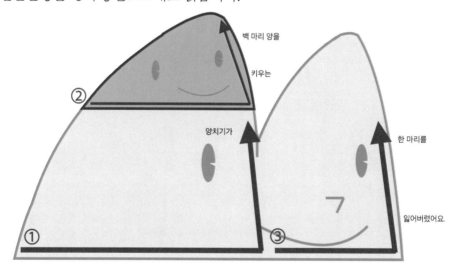

①(양치기가) ②(키우는 – 백 마리 양을) ③(잃어버렸어요 – 한 마리를)

3) 영어 등산코스로 읽은 한글을 영어단어로 알맞게 바꿉니다.

" A shepherd, fed a hundred sheep, lost one. "

19. 양치기는 잃어버린 양을 찾으러 밖으로 나갔어요.

1) 먼저 한글 등산코스를 따라 위 한글문장을 알맞게 배열합니다.

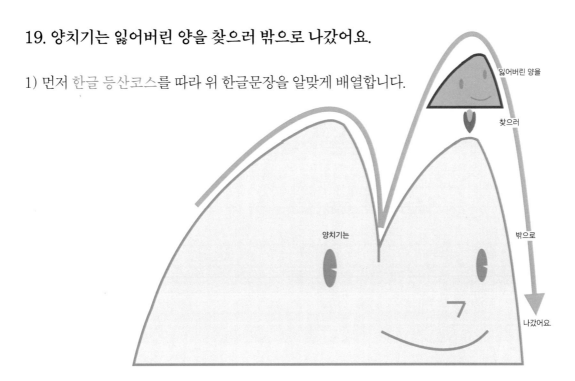

2) 배열된 한글문장을 영어 등산코스대로 읽습니다.

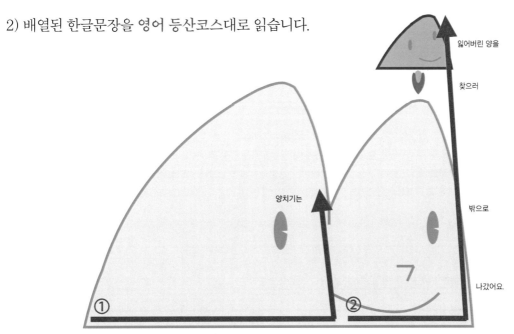

①(양치기는) ②(나갔어요 – 밖으로 – 찾으러 – 잃어버린 양을)

3) 영어 등산코스로 읽은 한글을 영어단어로 알맞게 바꿉니다.

" The shepherd   went   outside   to find   the lost sheep. "

20. 잃어버린 양을 찾은 양치기는 큰 잔치를 열었어요.

1) 먼저 한글 등산코스를 따라 위 한글문장을 알맞게 배열합니다.

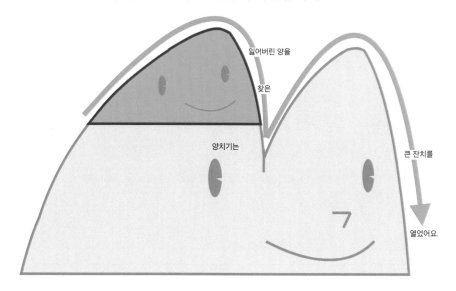

2) 배열된 한글문장을 영어 등산코스대로 읽습니다.

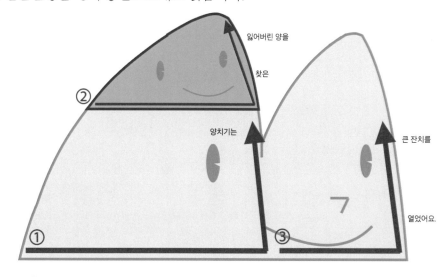

①(양치기는) ②(찾은 – 잃어버린 양을) ③(열었어요 – 큰 잔치를)

3) 영어 등산코스로 읽은 한글을 영어단어로 알맞게 바꿉니다.

" The shepherd,   found   the lost sheep,   had   a big feast. "

21. 길을 가던 한 사람이 강도들을 만났어요.

1) 먼저 한글 등산코스를 따라 위 한글문장을 알맞게 배열합니다.

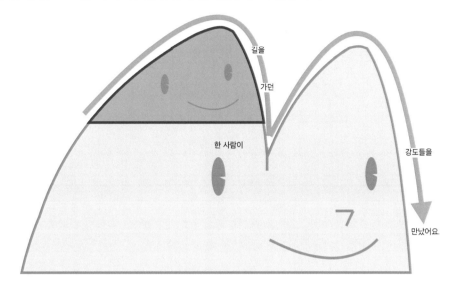

2) 배열된 한글문장을 영어 등산코스대로 읽습니다.

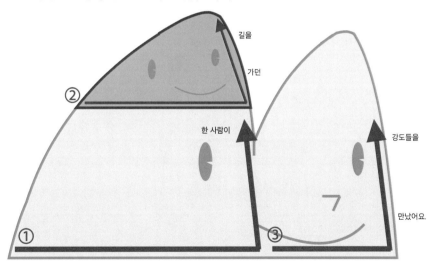

①(한 사람이) ②(가던 – 길을) ③(만났어요 – 강도들을)

3) 영어 등산코스로 읽은 한글을 영어단어로 알맞게 바꿉니다.

"One person, walked the road, met the robbers."

22. 강도들을 만난 그 사람은 큰 상처를 입었어요.

1) 먼저 한글 등산코스를 따라 위 한글문장을 알맞게 배열합니다.

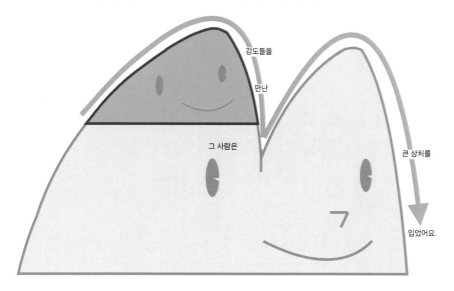

2) 배열된 한글문장을 영어 등산코스대로 읽습니다.

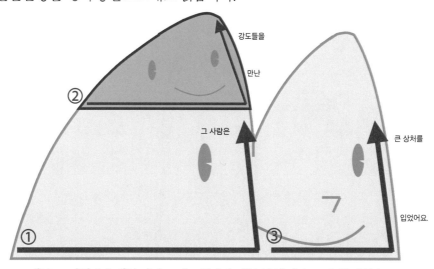

①(그 사람은) ②(만난 - 강도들을) ③(입었어요 - 큰 상처를)

3) 영어 등산코스로 읽은 한글을 영어단어로 알맞게 바꿉니다.

" The man,   met   the robbers,   was   hurt. "

23. 어떤 사마리아 사람이 다친 사람을 도와주었어요.

1) 먼저 한글 등산코스를 따라 위 한글문장을 알맞게 배열합니다.

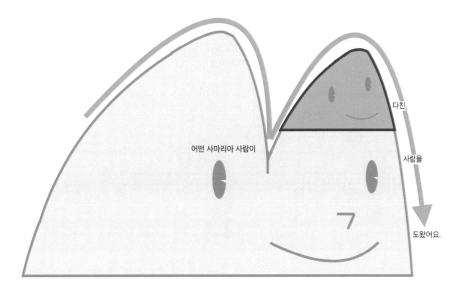

2) 배열된 한글문장을 영어 등산코스대로 읽습니다.

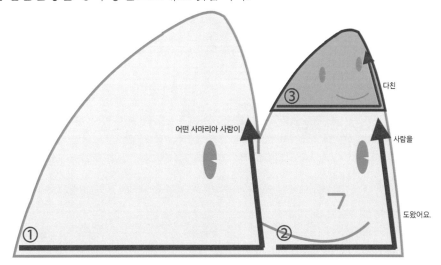

①(어떤 사마리아 사람이) ②(도와주었어요 – 사람을) ③(다친)

3) 영어 등산코스로 읽은 한글을 영어단어로 알맞게 바꿉니다.

" A Samaritan   helped   someone,   was injured. "

24. 다친 사람을 도와준 사람이 그의 이웃입니다.

1) 먼저 한글 등산코스를 따라 위 한글문장을 알맞게 배열합니다.

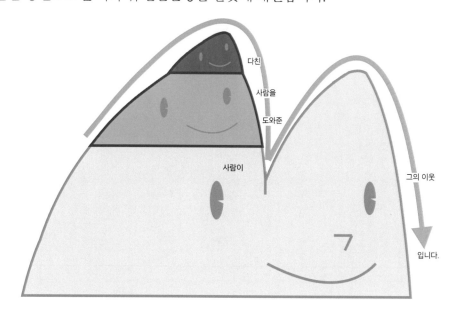

2) 배열된 한글문장을 영어 등산코스대로 읽습니다.

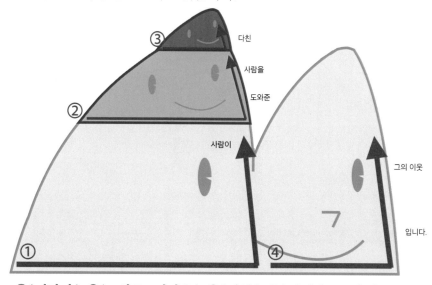

①(사람이) ②(도와준 - 사람을) ③(다친) ④(입니다 - 그의 이웃)

3) 영어 등산코스로 읽은 한글을 영어단어로 알맞게 바꿉니다.

" The person, helped someone was injured, is his neighbor. "

25. 많은 사람이 예수님의 말씀을 들으려고 모였어요.

1) 먼저 한글 등산코스를 따라 위 한글문장을 알맞게 배열합니다.

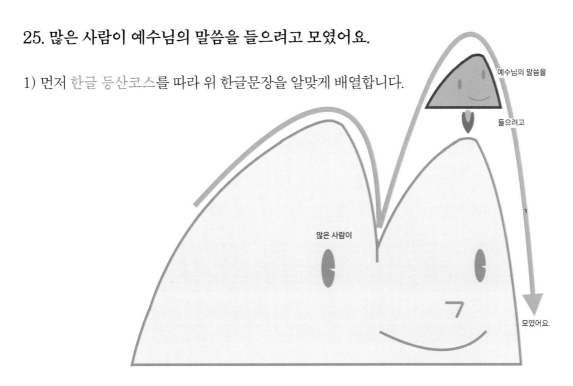

2) 배열된 한글문장을 영어 등산코스대로 읽습니다.

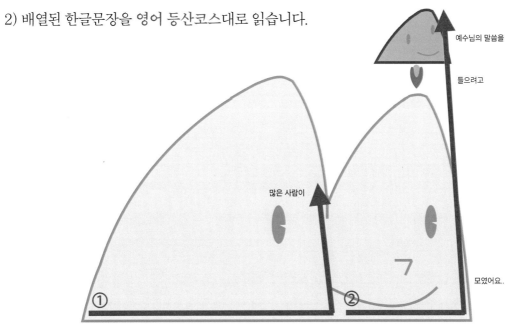

①(많은 사람이) ②(모였어요 – 들으려고 – 예수님의 말씀을)

3) 영어 등산코스로 읽은 한글을 영어단어로 알맞게 바꿉니다.

" Many people gathered to listen to Jesus's words. "

26. 예수님께서 여리고에서 앞을 보지 못하는 사람을 만났어요.

1) 먼저 한글 등산코스를 따라 위 한글문장을 알맞게 배열합니다.

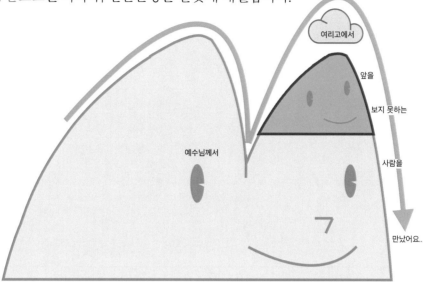

2) 배열된 한글문장을 영어 등산코스대로 읽습니다.

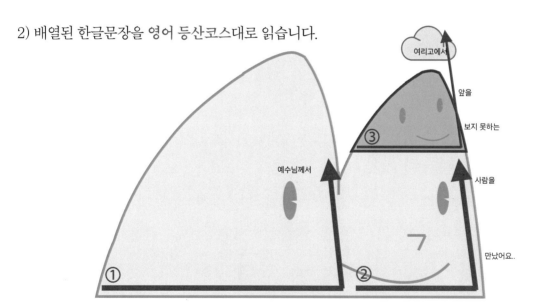

①(예수님께서) ②(만났어요 - 사람을) ③(보지 못하는 - 앞을 - 여리고에서)

3) 영어 등산코스로 읽은 한글을 영어단어로 알맞게 바꿉니다.

" Jesus met a man, could not see ahead in Jericho. "

27. 저는 앞을 보기를 원합니다.

1) 먼저 한글 등산코스를 따라 위 한글문장을 알맞게 배열합니다.

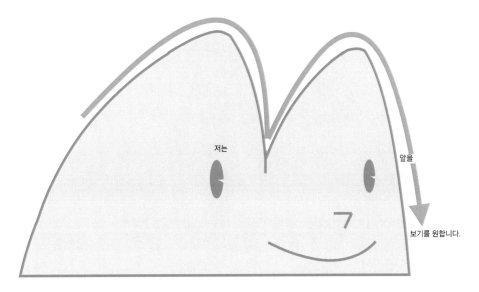

2) 배열된 한글문장을 영어 등산코스대로 읽습니다.

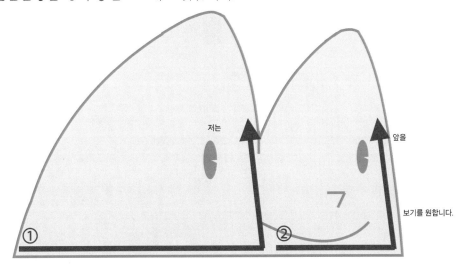

①(저는) ②(보기를 원합니다 - 앞을)

3) 영어 등산코스로 읽은 한글을 영어단어로 알맞게 바꿉니다.

" I   want to see   ahead. "

28. 예수님의 기적을 본 사람들은 하나님께 감사했어요.

1) 먼저 한글 등산코스를 따라 위 한글문장을 알맞게 배열합니다.

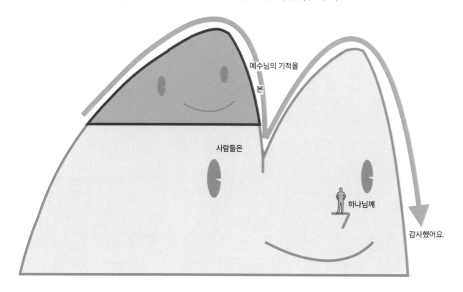

2) 배열된 한글문장을 영어 등산코스대로 읽습니다.

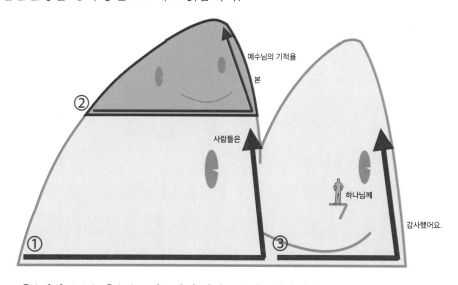

①(사람들은) ②(본 – 예수님의 기적을) ③(감사했어요 – 하나님께)

3) 영어 등산코스로 읽은 한글을 영어단어로 알맞게 바꿉니다.

" The people,   saw   the miracle of Jesus,   thanked   God. "

29. 예수님은 우리를 구원하시기 위해 십자가에서 죽으셨어요.

1) 먼저 한글 등산코스를 따라 위 한글문장을 알맞게 배열합니다.

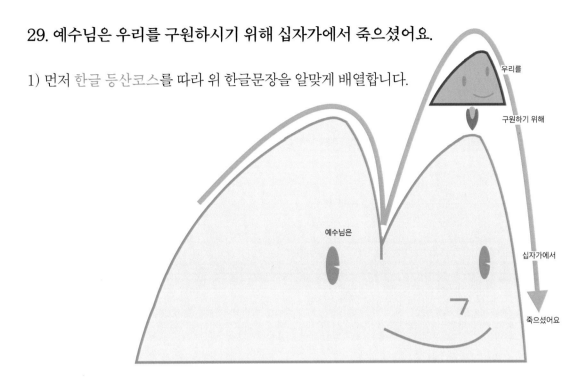

2) 배열된 한글문장을 영어 등산코스대로 읽습니다.

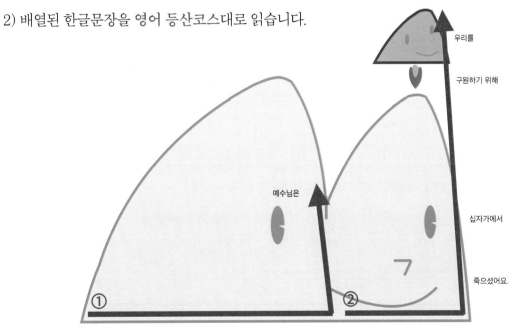

①(예수님은) ②(죽으셨어요 – 십자가에서 – 구원하기 위해 – 우리를)

3) 영어 등산코스로 읽은 한글을 영어단어로 알맞게 바꿉니다.

" Jesus   died   on the cross   to save   us. "

30. 제자들은 십자가에서 죽으신 예수님을 바라보았어요.

1) 먼저 한글 등산코스를 따라 위 한글문장을 알맞게 배열합니다.

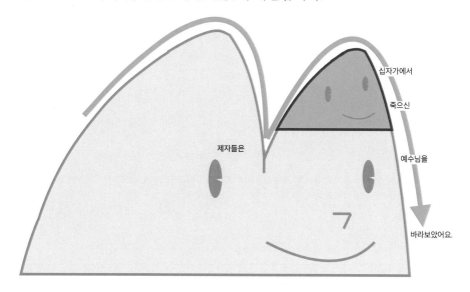

2) 배열된 한글문장을 영어 등산코스대로 읽습니다.

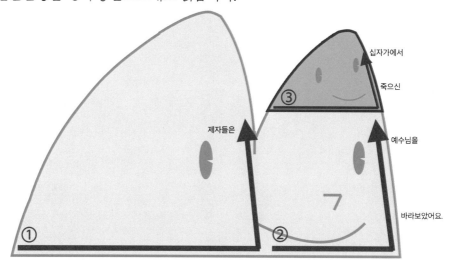

①(제자들은) ②(바라보았어요 - 예수님을) ③(죽으신 - 십자가에서)

3) 영어 등산코스로 읽은 한글을 영어단어로 알맞게 바꿉니다.

" The disciples looked at Jesus, died on the cross. "

31. 무덤에 묻히신 예수님은 다시 살아나셨어요.

1) 먼저 한글 등산코스를 따라 위 한글문장을 알맞게 배열합니다.

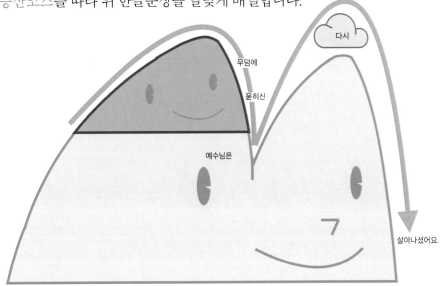

2) 배열된 한글문장을 영어 등산코스대로 읽습니다.

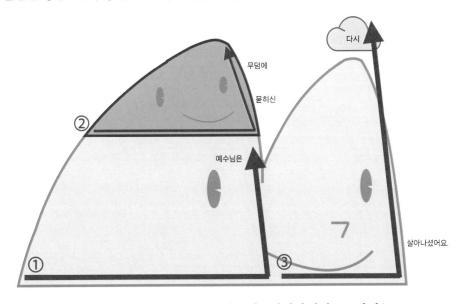

①(예수님은) ②(묻히신 – 무덤에) ③(살아나셨어요 – 다시)

3) 영어 등산코스로 읽은 한글을 영어단어로 알맞게 바꿉니다.

" Jesus,   was buried in the tomb, rose   again. "

32. 살아나신 예수님은 숨어있던 제자들을 찾았어요.

1) 먼저 한글 등산코스를 따라 위 한글문장을 알맞게 배열합니다.

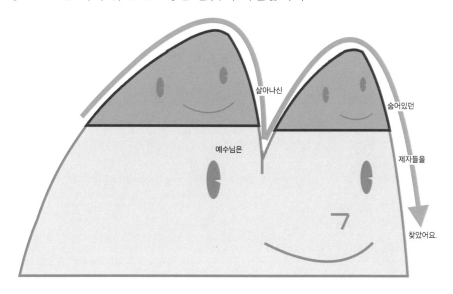

2) 배열된 한글문장을 영어 등산코스대로 읽습니다.

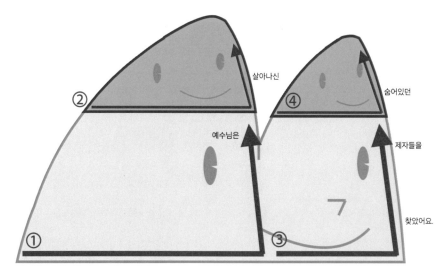

①(예수님은) ②(살아나신) ③(찾았어요 - 제자들을) ④(숨어있던)

3) 영어 등산코스로 읽은 한글을 영어단어로 알맞게 바꿉니다.

" Jesus, resurrected, found the disciples, hide. "

33. 예수님을 만진 도마는 부활을 믿게 되었어요.

1) 먼저 한글 등산코스를 따라 위 한글문장을 알맞게 배열합니다.

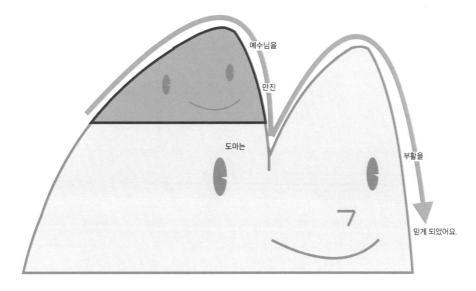

2) 배열된 한글문장을 영어 등산코스대로 읽습니다.

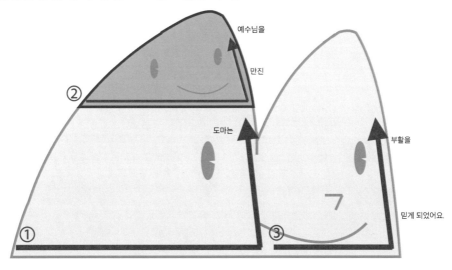

①(도마는) ②(만진 - 예수님을) ③(믿게 되었어요 - 부활을)

3) 영어 등산코스로 읽은 한글을 영어단어로 알맞게 바꿉니다.

" Thomas, touched Jesus, came to believed in the resurrection. "

34. 하늘에 올라가신 예수님은 다시 오실 거에요.

1) 먼저 한글 등산코스를 따라 위 한글문장을 알맞게 배열합니다.

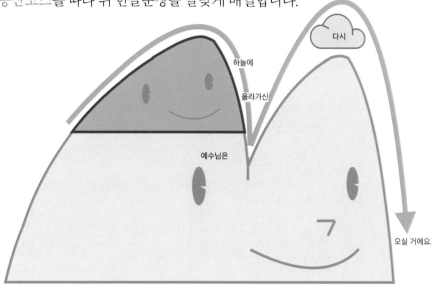

2) 배열된 한글문장을 영어 등산코스대로 읽습니다.

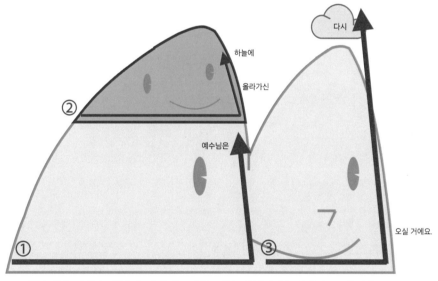

①(예수님은) ②(올라가신 – 하늘에) ③(오실 거에요 – 다시)

3) 영어 등산코스로 읽은 한글을 영어단어로 알맞게 바꿉니다.

" Jesus, ascended to heaven, will come again. "

35. 예수님을 믿는 사람은 구원을 받아요.

1) 먼저 한글 등산코스를 따라 위 한글문장을 알맞게 배열합니다.

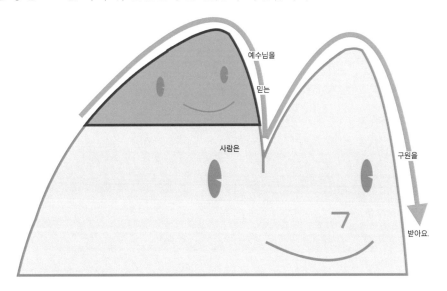

2) 배열된 한글문장을 영어 등산코스대로 읽습니다.

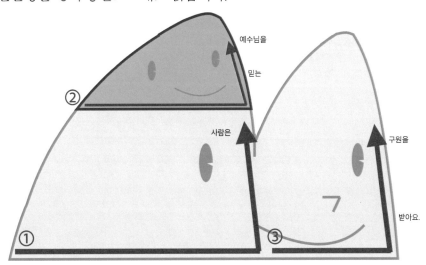

①(사람은) ②(믿는 - 예수님을) ③(받아요 - 구원을)

3) 영어 등산코스로 읽은 한글을 영어단어로 알맞게 바꿉니다.

" The man,　believe in　Jesus,　receive　salvation. "

*사역동사 용법(남이 무엇을 하도록 시키는 동사) **: make, have, help, let**

36. 성령이 너희를 증인이 되게 만들 것이다.

1) 먼저 한글 등산코스를 따라 위 한글문장을 알맞게 배열합니다.

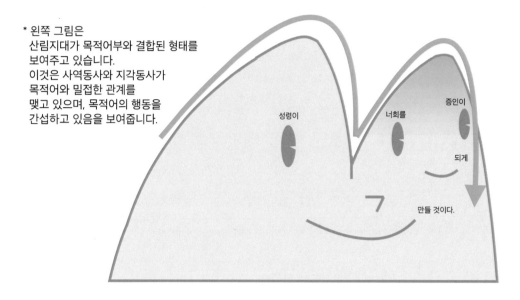

* 왼쪽 그림은
산림지대가 목적어부와 결합된 형태를
보여주고 있습니다.
이것은 사역동사와 지각동사가
목적어와 밀접한 관계를
맺고 있으며, 목적어의 행동을
간섭하고 있음을 보여줍니다.

2) 배열된 한글문장을 영어 등산코스대로 읽습니다.

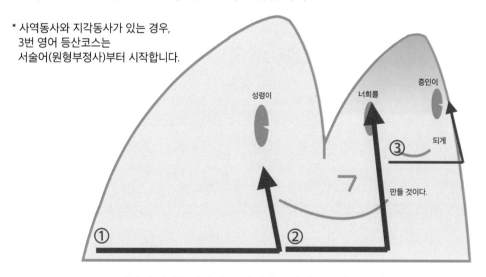

* 사역동사와 지각동사가 있는 경우,
3번 영어 등산코스는
서술어(원형부정사)부터 시작합니다.

①(성령이) ②(만들 것이다 – 너희를) ③(되게 – 증인이)

3) 영어 등산코스로 읽은 한글을 영어단어로 알맞게 바꿉니다.

" The Holy Spirit   will make you (be) witnesses. "

*주문장에 사역동사가 있을 경우, 목적어 다음에 원형부정사(동사원형)를 사용한다.

44

*사역동사 용법(남이 무엇을 하도록 시키는 동사) : make, have, help, let

37. 예수의 이름이 너를 걷게 하실 것이다.

1) 먼저 한글 등산코스를 따라 위 한글문장을 알맞게 배열합니다.

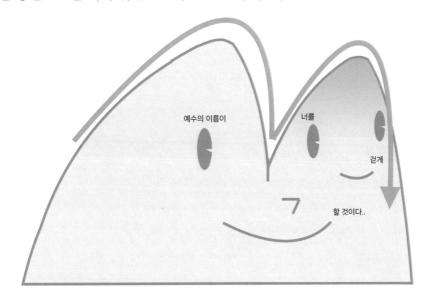

2) 배열된 한글문장을 영어 등산코스대로 읽습니다.

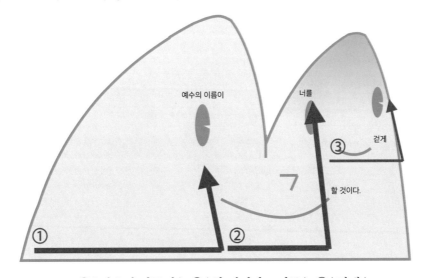

①(예수의 이름이) ②(할 것이다 – 너를) ③(걷게)

3) 영어 등산코스로 읽은 한글을 영어단어로 알맞게 바꿉니다.

" The name of Jesus   will make   you   walk. "

*주문장에 사역동사가 있을 경우, 목적어 다음에 원형부정사(동사원형)를 사용한다.

see, watch, look at, hear, listen to, feel, notice, observe

38. 사람들은 그가 걷는 걸 보았다.

1) 먼저 한글 등산코스를 따라 위 한글문장을 알맞게 배열합니다.

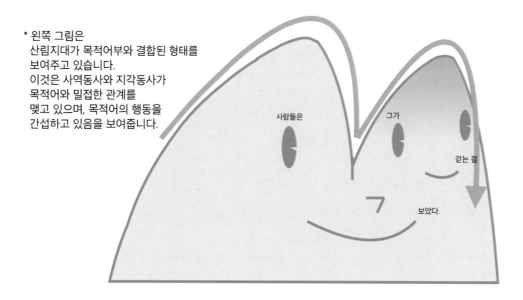

* 왼쪽 그림은
  산림지대가 목적어부와 결합된 형태를
  보여주고 있습니다.
  이것은 사역동사와 지각동사가
  목적어와 밀접한 관계를
  맺고 있으며, 목적어의 행동을
  간섭하고 있음을 보여줍니다.

2) 배열된 한글문장을 영어 등산코스대로 읽습니다.

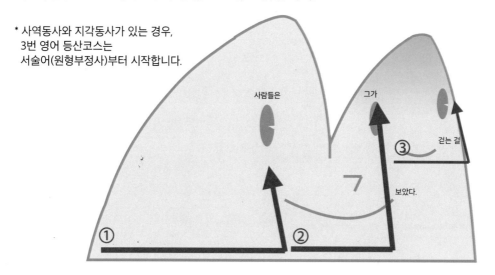

* 사역동사와 지각동사가 있는 경우,
  3번 영어 등산코스는
  서술어(원형부정사)부터 시작합니다.

①(사람들은) ②(보았다 - 그가) ③(걷는 걸 _(현재진행))

3) 영어 등산코스로 읽은 한글을 영어단어로 알맞게 바꿉니다.

" People saw him (be) walking. "

*주문장에 지각동사가 있을 경우, 목적어 다음에 원형부정사(동사원형)를 사용한다.

*사역동사 용법(남이 무엇을 하도록 시키는 동사) : make, have, help, let

39. 제자들은 사람들이 예수님을 믿게 만들었다.

1) 먼저 한글 등산코스를 따라 위 한글문장을 알맞게 배열합니다.

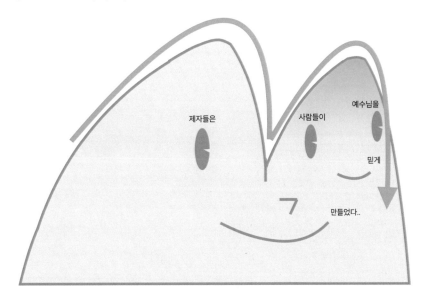

2) 배열된 한글문장을 영어 등산코스대로 읽습니다.

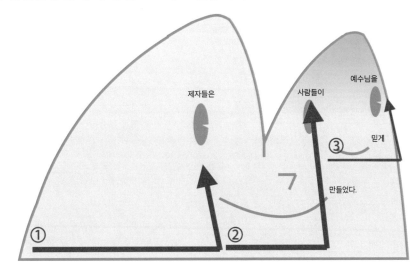

①(제자들은) ②(만들었다 - 사람들이) ③(믿게 - 예수님을)

3) 영어 등산코스로 읽은 한글을 영어단어로 알맞게 바꿉니다.

" The disciples made people believe in Jesus. "

*주문장에 사역동사가 있을 경우, 목적어 다음에 원형부정사(동사원형)를 사용한다.

*지각동사 용법 : 남이 무언가를 하는 것을 인지하는 동사

see, watch, look at, hear, listen to, feel, notice, observe

40. 사람들은 제자들이 복음을 전하는 걸 들었어요.

1) 먼저 한글 등산코스를 따라 위 한글문장을 알맞게 배열합니다.

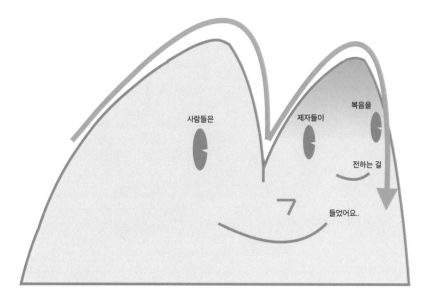

2) 배열된 한글문장을 영어 등산코스대로 읽습니다.

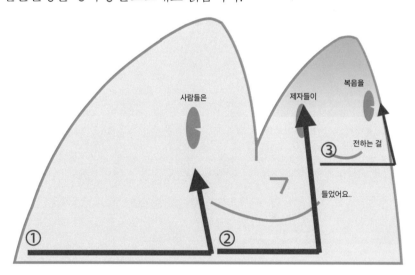

①(사람들은) ②(들었어요 - 제자들이) ③(전하는 걸 (현재진행) - 복음을)

3) 영어 등산코스로 읽은 한글을 영어단어로 알맞게 바꿉니다.

" People   heard   the disciples   (be) preaching   the gospel. "

*주문장에 지각동사가 있을 경우, 목적어 다음에 원형부정사(동사원형)를 사용한다.

*사역동사 용법(남이 무엇을 하도록 시키는 동사) : make, have, help, let

41. 하나님은 우리가 서로를 사랑하게 하셨어요.

1) 먼저 한글 등산코스를 따라 위 한글문장을 알맞게 배열합니다.

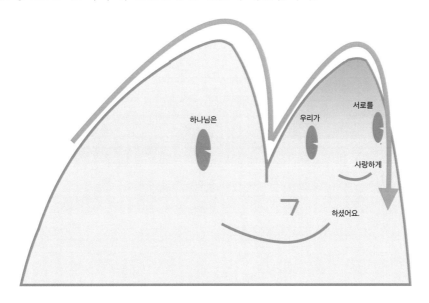

2) 배열된 한글문장을 영어 등산코스대로 읽습니다.

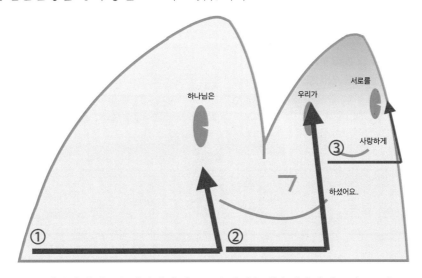

①(하나님은) ②(하셨어요 – 우리가) ③(사랑하게 – 서로를)

3) 영어 등산코스로 읽은 한글을 영어단어로 알맞게 바꿉니다.

" God made us love each other. "

*주문장에 사역동사가 있을 경우, 목적어 다음에 원형부정사(동사원형)를 사용한다.

산영어

발   행 | 2024년 5월 17일
저   자 | 김진문
펴낸이 | 한건희
펴낸곳 | 주식회사 부크크
출판사등록 | 2014.07.15.(제2014-16호)
주   소 | 서울특별시 금천구 가산디지털1로 119 SK트윈타워 A동 305호
전   화 | 1670-8316
이메일 | info@bookk.co.kr

ISBN | 979-11-410-8545-2

www.bookk.co.kr
© 김진문 2024